Najpiękniejsze BAŚNIE ŚWIATA

tekst polski
Anna Sójka

ilustracje
Marek Szyszko

tekst polski – Anna Sójka
ilustracje – Marek Szyszko
projekt graficzny – Anna Cięciel-Łukaszewska

ISBN 83-7212-158-3
Wydawnictwo Podsiedlik-Raniowski i Spółka – sp. z o.o.
60-171 Poznań
ul. Żmigrodzka 41/49
tel. 867-95-46, fax 867-68-50
e-mail: office@priska.com.pl
http://www.priska.com.pl

Lampa Aladyna

Daleko stąd, na Wschodzie, tam, gdzie ludzie noszą długie, powiewne szaty i turbany, a rządy sprawuje potężny sułtan, żyła uboga wdowa ze swoim jedynym synem — Aladynem.

Chłopiec całymi dniami włóczył się ulicami miasta w poszukiwaniu pracy. Od czasu do

czasu udawało mu się zatrudnić na krótko przy rozładunku wozów bogatych kupców lub pielęgnowaniu zielonych ogrodów dostojników, lecz pracy nie było zbyt wiele i pieniądze, które zarobił, ledwo starczały na chleb.
Aladyn i jego matka żyli w nędzy.

Pewnego dnia wędrującego zaułkami miasta chłopca zaczepił tajemniczy nieznajomy. Ubrany był w bogate szaty, a z jego postawy biła duma. Aladyn domyślał się, że to ktoś ważny.

— Nareszcie cię znalazłem, Aladynie — powiedział ów człowiek. — Jestem twoim wujem. Dawno temu opuściłem miasto, szukając bogactw i sławy, a teraz, słysząc, w jakim ubóstwie żyjesz ty i twoja matka, wróciłem, żeby wam pomóc. Chodź ze mną, chłopcze, a uczynię cię bogatym.

Aladyn poszedł.
Wkrótce dotarli nad szeroką, spokojną rzekę. Kiedy Aladyn podziwiał piękny krajobraz, nieznajomy pochylił się nad wielkim, szarym głazem i wyszeptał kilka tajemniczych słów. Kamień pękł, ukazując prowadzące w dół schody.
— Hej, chłopcze! — zawołał rzekomy wuj. — Tam na dole znajdziesz nieprzebrane skarby. Wszystko będzie twoje, musisz tylko zejść do groty i podać mi stamtąd starą lampę.

Kiedy Aladyn zszedł po schodach, ujrzał wokół siebie stosy złotych monet i klejnotów. W najśmielszych snach nie marzył o takim bogactwie. Na niskim stoliku pośrodku groty stała stara lampa oliwna. Nie wyglądała na cenną. Dlaczego więc nieznajomy pragnął tylko jej?

— Wuju! Po co ci ta lampa? — zawołał chłopiec.

— To nie twoja sprawa. Daj ją tu i tyle!

— Będziesz musiał sam po nią zejść, bo jeśli mi nie powiesz, dlaczego wolisz lampę od złota i szlachetnych kamieni, nie spełnię twojej prośby.

— Nie?

— Nie!

Nastąpiła cisza, a potem Aladyn usłyszał, jak głaz zasuwa się. Zapanowała ciemność.

Błądząc po omacku, chłopiec natrafił na lampę. Kiedy odruchowo przycisnął ją do piersi i potarł rękawem, rozległ się świst, a z wnętrza lampy wydobyła się chmura dymu, która szybko przybrała kształt dżina.

— Mów, czego chcesz, panie! — pokłonił się Aladynowi duch. — Jestem na twoje rozkazy.

— Zabierz mnie do domu — wyszeptał zdumiony chłopiec.

Jego życzenie natychmiast zostało spełnione.

Dżin opowiedział Aladynowi o nieznajomym, który wcale nie był wujem chłopca, tylko złym czarnoksiężnikiem. Ponieważ wiedział, że kto raz zejdzie do pieczary, nigdy stamtąd nie wróci, posłużył się Aladynem. Chciał, by chłopiec podał mu lampę, a potem zginął w ciemnościach.

Duch okazał się przyjacielski i sympatyczny. Spełniał wszystkie zachcianki Aladyna. Wkrótce on i jego matka opływali w bogactwa.

Pewnego dnia Aladyn ujrzał córkę sułtana, która przejeżdżała przez miasto otoczona orszakiem dworzan, i zakochał się w niej.

— Dżinie! Przenieś mnie do pałacu władcy. Będę prosił o rękę księżniczki — poprosił ducha.

W jednej chwili znalazł się przed obliczem sułtana. A ponieważ ubrany był w przepyszne szaty, a na jego palcach lśniły pierścienie świadczące o wielkim bogactwie, sułtan zgodził się, by został jego zięciem. Dziewczyna nie miała nic przeciwko temu. Piękny, młody i bogaty Aladyn bardzo jej się spodobał. Niezadowolony był tylko pierwszy minister. Marzył o tym, by to jego syn został mężem księżniczki.

Przekonał sułtana, by poczekał trzy miesiące z wyprawieniem wesela. Aladyn odjechał, marząc o swej narzeczonej. Był przekonany, że wkrótce wróci, aby ją poślubić.

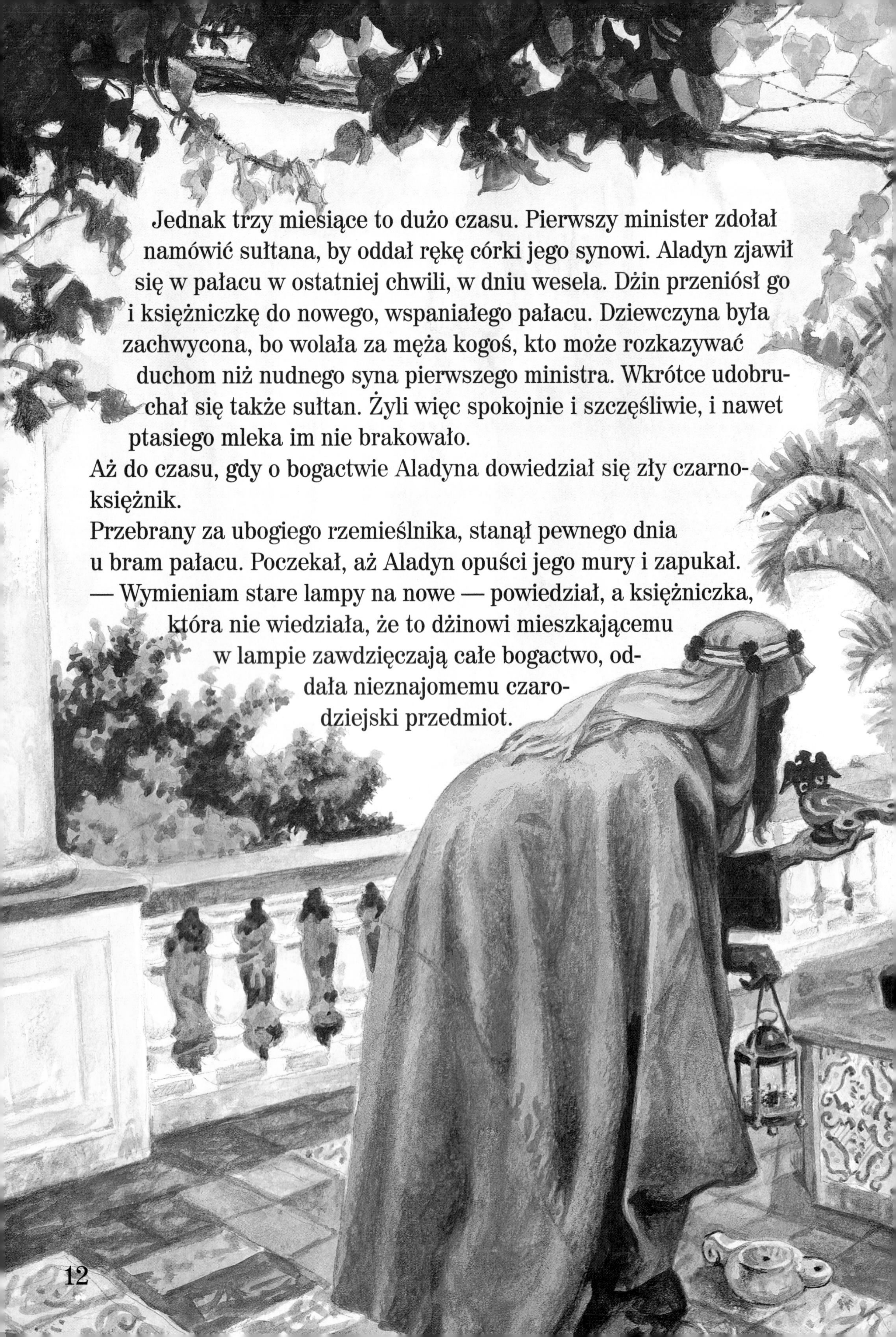

Jednak trzy miesiące to dużo czasu. Pierwszy minister zdołał namówić sułtana, by oddał rękę córki jego synowi. Aladyn zjawił się w pałacu w ostatniej chwili, w dniu wesela. Dżin przeniósł go i księżniczkę do nowego, wspaniałego pałacu. Dziewczyna była zachwycona, bo wolała za męża kogoś, kto może rozkazywać duchom niż nudnego syna pierwszego ministra. Wkrótce udobruchał się także sułtan. Żyli więc spokojnie i szczęśliwie, i nawet ptasiego mleka im nie brakowało.

Aż do czasu, gdy o bogactwie Aladyna dowiedział się zły czarnoksiężnik.

Przebrany za ubogiego rzemieślnika, stanął pewnego dnia u bram pałacu. Poczekał, aż Aladyn opuści jego mury i zapukał.

— Wymieniam stare lampy na nowe — powiedział, a księżniczka, która nie wiedziała, że to dżinowi mieszkającemu w lampie zawdzięczają całe bogactwo, oddała nieznajomemu czarodziejski przedmiot.

Czarnoksiężnik odszedł, zabierając ze sobą bezcenny skarb. Tuż za rogiem zatrzymał się i potarł lampę.
— Mów, czego chcesz, panie! — pokłonił się przed nim duch. — Jestem na twoje rozkazy.
— Przenieś mnie oraz ten pałac wraz z księżniczką na pustynię!
Rozkaz został wypełniony.
Kiedy Aladyn wrócił, wpadł w rozpacz. Kiedy zaś sułtan dowiedział się, że jego córka zniknęła, wpadł we wściekłość.

— Jeśli nie odnajdziesz jej w ciągu czterdziestu dni, każę cię ściąć — zagroził Aladynowi.
Przez trzydzieści dziewięć dni młodzieńcowi nie udało się natrafić na ślad zaginionego pałacu.

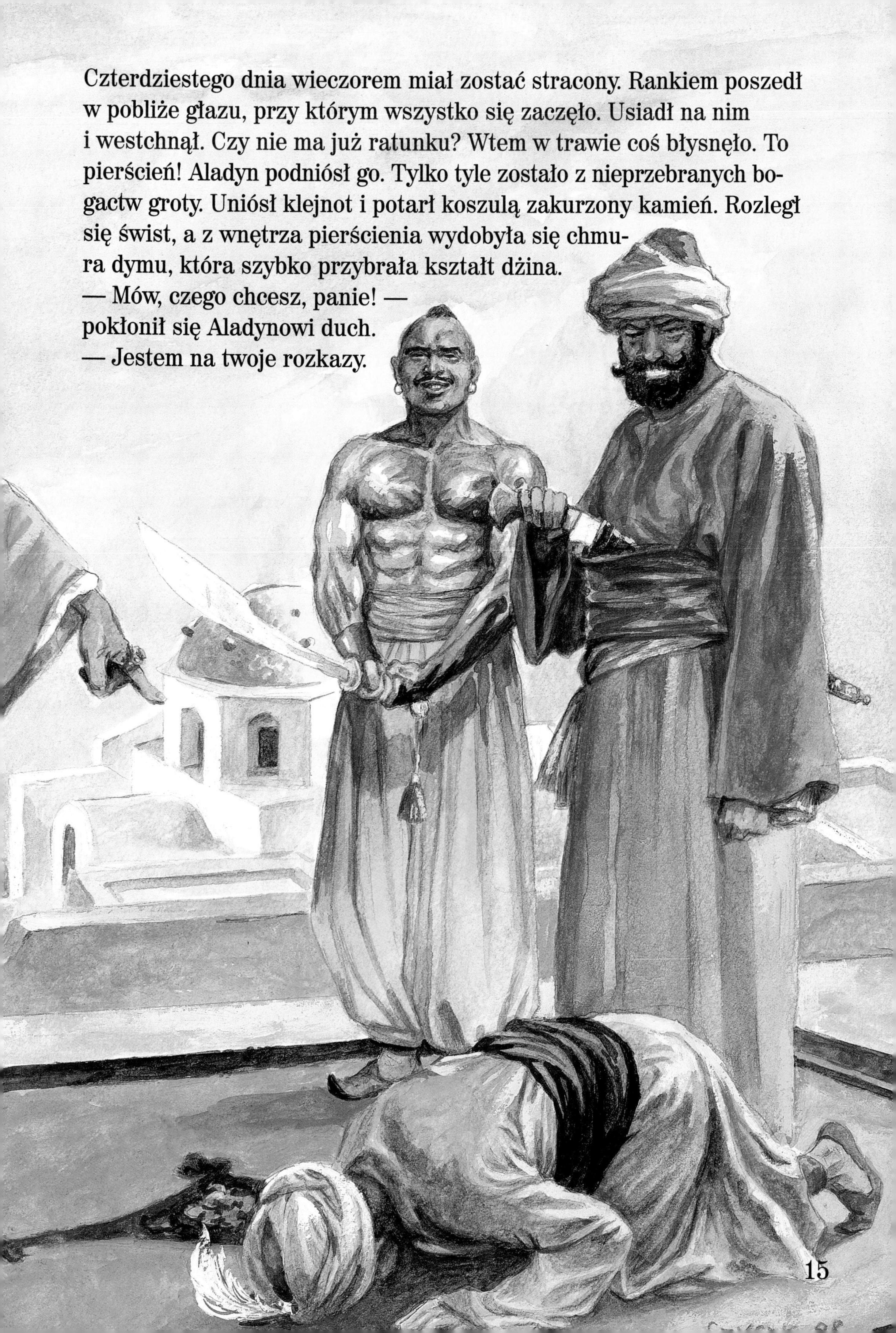

Czterdziestego dnia wieczorem miał zostać stracony. Rankiem poszedł w pobliże głazu, przy którym wszystko się zaczęło. Usiadł na nim i westchnął. Czy nie ma już ratunku? Wtem w trawie coś błysnęło. To pierścień! Aladyn podniósł go. Tylko tyle zostało z nieprzebranych bogactw groty. Uniósł klejnot i potarł koszulą zakurzony kamień. Rozległ się świst, a z wnętrza pierścienia wydobyła się chmura dymu, która szybko przybrała kształt dżina.

— Mów, czego chcesz, panie! — pokłonił się Aladynowi duch.
— Jestem na twoje rozkazy.

W jednej chwili, na życzenie Aladyna, pałac z księżniczką i lampą wrócił na swoje miejsce. Sułtan natychmiast odwołał egzekucję zięcia i ogłosił go najważniejszym człowiekiem w państwie i swoim następcą. Czarnoksiężnik zaś został sam na pustyni — zbyt bezradny, by mógł zaszkodzić bohaterom tej opowieści.

Dzielny ołowiany żołnierzyk

Ta historia wydarzyła się dawno, dawno temu, kiedy dzieci bawiły się żołnierzykami zrobionymi z ołowiu, a nie z plastiku, tak jak dziś.

Któregoś dnia do dużego sklepu z zabawkami przyszedł pewien człowiek, żeby kupić prezent urodzinowy dla swojego synka. Wybrał pięć ołowianych żołnierzyków.

— Ostatni z nich ma tylko jedną nogę — uprzedził sprzedawca. — Ale ma za to bardzo dobre serce — dodał z uśmiechem.

— Poproszę wszystkie.

Żołnierze zostali zapakowani w ozdobny papier i wkrótce opuścili sklepowe zacisze.

Chłopiec, który ich dostał, bardzo ucieszył się z prezentu. Zmartwił go tylko żołnierzyk bez nogi.

— Jak poradzi sobie podczas wojny?

Ale dzielny ołowiany żołnierzyk stał wytrwale na baczność i w niczym nie ustępował swoim kolegom. Wspaniale było bawić się nowym prezentem!

Wieczorem, kiedy chłopiec poszedł spać, zabawki zaczęły żyć własnym życiem. Ołowiany żołnierzyk dostrzegł śliczną papierową baletnicę. Miała różową sukienkę i białą różę w złotych włosach.
— Och... — westchnął dzielny wojak, bo zakochał się w tancerce od pierwszego wejrzenia.
Piękna lalka spojrzała na niego, zakręciła się w lekkim piruecie i uśmiechnęła się nieśmiało.
— Może mnie kocha? — pomyślał z nadzieją ołowiany żołnierzyk. — Może nie przeszkadza jej, że mam tylko jedną nogę, przecież ona też stoi na jednej…
Kiedy tak oboje wzdychali i uśmiechali się do siebie, z brązowego pudełka wyskoczył nagle brzydki pajac na sprężynie.
— Nie gap się tak na nią! — krzyknął do ołowianego żołnierzyka. — Jest dla ciebie o wiele za ładna! Powinna zainteresować się kimś takim jak ja.
Baletnica przyglądała się pajacowi z przerażeniem. Bała się go!
— Zobaczysz, jutro wydarzy się coś, co zapamiętasz na całe życie — pogroził pajac żołnierzykowi i schował się do swojego pudełka.

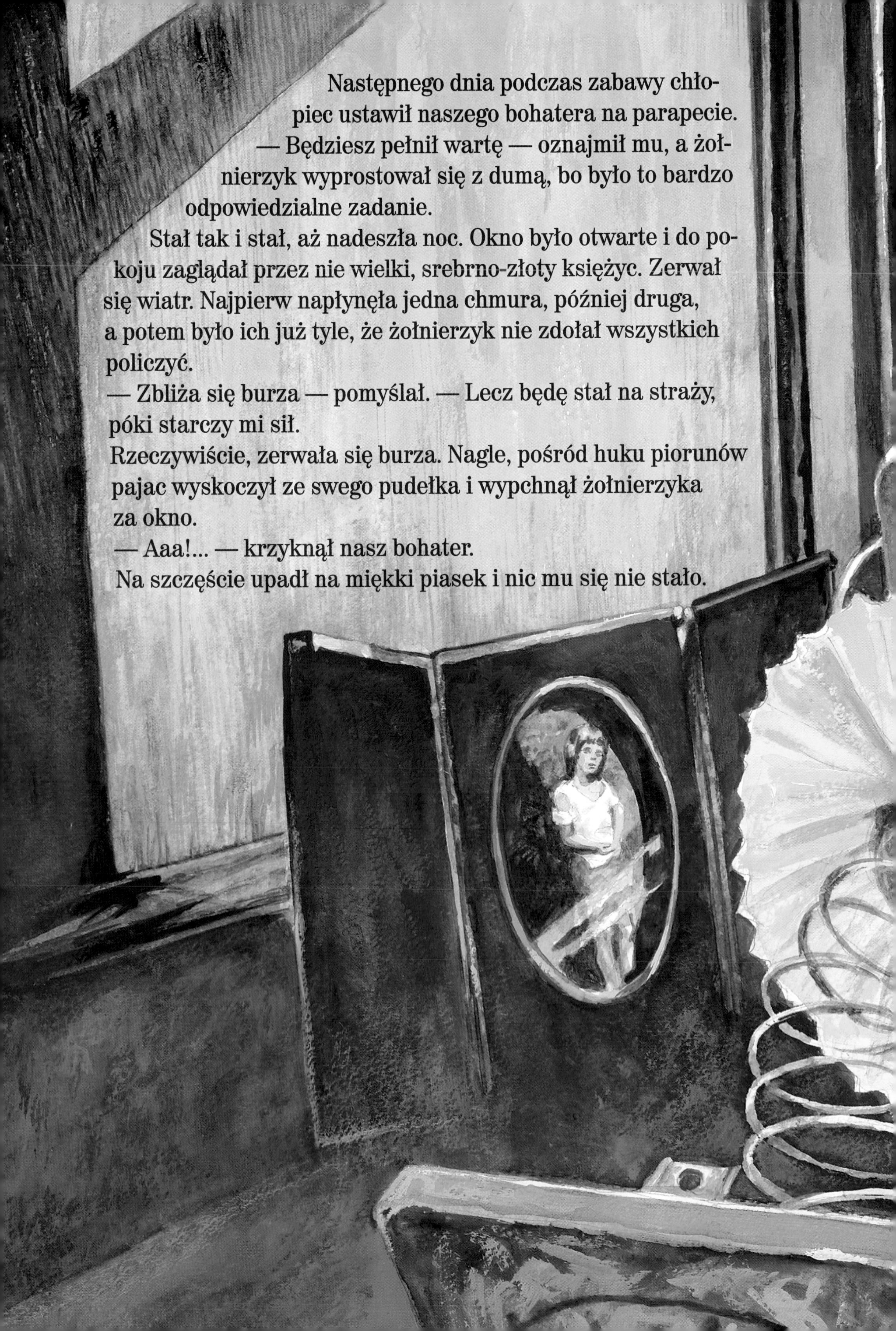

Następnego dnia podczas zabawy chłopiec ustawił naszego bohatera na parapecie.

— Będziesz pełnił wartę — oznajmił mu, a żołnierzyk wyprostował się z dumą, bo było to bardzo odpowiedzialne zadanie.

Stał tak i stał, aż nadeszła noc. Okno było otwarte i do pokoju zaglądał przez nie wielki, srebrno-złoty księżyc. Zerwał się wiatr. Najpierw napłynęła jedna chmura, później druga, a potem było ich już tyle, że żołnierzyk nie zdołał wszystkich policzyć.

— Zbliża się burza — pomyślał. — Lecz będę stał na straży, póki starczy mi sił.

Rzeczywiście, zerwała się burza. Nagle, pośród huku piorunów pajac wyskoczył ze swego pudełka i wypchnął żołnierzyka za okno.

— Aaa!... — krzyknął nasz bohater.

Na szczęście upadł na miękki piasek i nic mu się nie stało.

Nazajutrz chłopiec, który zauważył zniknięcie dzielnego wartownika, wyruszył na poszukiwania. I choć prawie na niego nadepnął, nie dostrzegł ołowianego żołnierzyka.

Dostrzegli go za to dwaj łobuziacy, bawiący się na ulicy.
— Zobacz, co mam — pochwalił się jeden z nich.
— Świetnie. Będzie z niego dzielny marynarz — ucieszył się drugi.
Zrobili z papieru małą łódeczkę i, włożywszy do niej żołnierzyka, puścili go w rejs po wezbranym deszczem rynsztoku. Nasz bohater nie lubił wody, bo bał się, że zmyje jego pięknie malowany mundur, ale ponieważ był odważny, ani na chwilę nie wypuścił z rąk swojego karabinu.

— Och!
Łódka, porwana prądem, wpadła w ciemny tunel.
— Ach!
Obok, z zawrotną szybkością, przepłynęła butelka i stary but. Trzeba nie lada odwagi, żeby przeżyć to wszystko i ciągle stać na baczność. Baletnica na pewno byłaby dumna ze swojego żołnierzyka.
Światełko w tunelu. Nareszcie! Lecz to nie koniec kłopotów. Przed łódką piętrzy się wzburzony wodospad.

Dzielny ołowiany żołnierzyk wypadł ze swojego stateczka. Sporo się namęczył, zanim znów dostał się na pokład.

Ale oto następna przygoda. Pod mostkiem żołnierzyk natknął się na starego szczura.
— Musisz pokazać mi paszport i zapłacić cło. Inaczej nie puszczę cię dalej.
— Nie mam dokumentów ani pieniędzy. Jestem tylko zabawką.
Szczur jednak, nie słuchając tłumaczeń, rzucił się na mały stateczek. Żołnierzyk ugodził go swoim bagnetem i paskudne zwierzę wpadło do wody.
Tym razem nasz bohater był uratowany!
Jednak już za chwilę łódka, która była przecież zrobiona z papieru, rozpadła się i ołowiany żołnierzyk pogrążył się w falach.
— Jaki smaczny kąsek — pomyślała przepływająca obok wielka ryba i połknęła dzielnego wojaka.

Traf chciał, że wkrótce rybę tę złowiono i sprzedano na targu. Kupiła ją kucharka z domu chłopca.

Ileż było radości, gdy z brzucha ryby wydobyto zaginionego żołnierzyka! Tylko pajac nie był zadowolony. Łypnął oczami i złośliwie się wykrzywił.

Inne zabawki uroczyście przywitały ołowianego żołnierzyka. Zazdrościły mu przygód, o których opowiadał, a baletnica patrzyła na niego z podziwem i jeszcze większą miłością niż przedtem.

Następnego dnia dzieci pod opieką niani bawiły się swoimi zabawkami. Chłopiec pokazał ołowianego żołnierzyka młodszemu braciszkowi.

— Nie ma wprawdzie jednej nogi, ale w ogniu walki nikt mu nie dorówna — powiedział.

— W ogniu? — zdziwił się malec i, niewiele myśląc, wrzucił zabawkę do kominka.

Z brązowego pudełka wychylił się złośliwy pajac.
— Och! — krzyknął żołnierzyk.
— Ach! — krzyknęła baletnica, którą nagły podmuch wiatru porwał i wrzucił w płomienie.
W jednej chwili spłonęli oboje.
Nie zginęli jednak bez śladu. Po dzielnym żołnierzyku zostało małe ołowiane serduszko, a po ślicznej baletnicy — biała róża. Były znakami miłości, której nie zniszczył nawet ogień kominka.

Ali Baba i czterdziestu rozbójników

Dawno, dawno temu, w dalekim kraju, gdzie mężczyźni noszą turbany i szarawary, żył pewien człowiek imieniem Ali Baba. Nie był ani biedny, ani bogaty. Mieszkał w białym domu, otoczonym murem, z żoną, synem i służącą Marianną. Ponieważ był kupcem, często podróżował — odwiedzał dalekie kraje, skąd sprowadzał barwne tkaniny. Pewnego dnia, wracając z jednej z takich podróży do domu, znalazł się w gęstym lesie. Wokół było tak cicho i tak ciemno, że kupca przeszły ciarki. Nie znał

okolicy i nie czuł się pewnie na leśnej drodze, toteż gdy usłyszał tętent kopyt, dla bezpieczeństwa wszedł na najbliższe drzewo i ukrył się w jego gałęziach. Całe szczęście! Oto bowiem leśnym traktem zbliżała się grupa jeźdźców. Wyglądali groźnie: ogorzałe twarze znaczyły blizny, za pasami błyszczały ostre noże. Ali Baba domyślił się, że są to rozbójnicy. Za hersztem, wyróżniającym się wspaniałymi szatami, podążało czterdziestu rzezimieszków. Kupiec zamarł z przerażenia.

Wtem jeźdźcy zatrzymali się przed skalną ścianą, wyłaniającą się spomiędzy krzewów.

— Sezamie, otwórz się! — dobiegł uszu Ali Baby rozkaz herszta rozbójników.

Po chwili skała rozstąpiła się powoli, ukazując ciemną jaskinię. Zbójcy zniknęli w jej wnętrzu, by wkrótce opuścić grotę, wynosząc z niej tajemnicze worki.

— Na me rozkazanie, zamknij się, Sezamie! — zawołał dowódca.

Worki załadowano na konie i rozbójnicy odjechali.

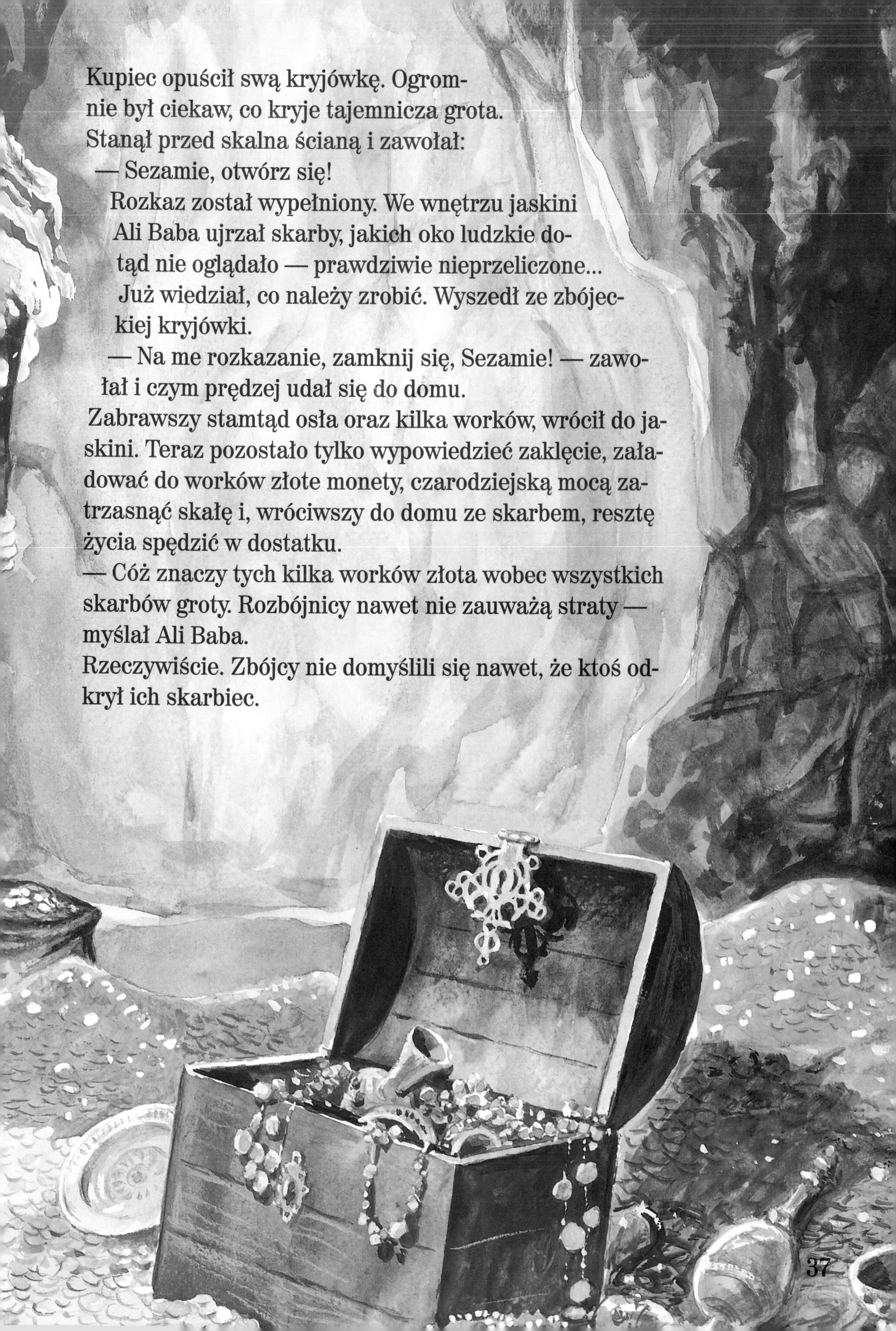

Kupiec opuścił swą kryjówkę. Ogromnie był ciekaw, co kryje tajemnicza grota. Stanął przed skalna ścianą i zawołał:

— Sezamie, otwórz się!

Rozkaz został wypełniony. We wnętrzu jaskini Ali Baba ujrzał skarby, jakich oko ludzkie dotąd nie oglądało — prawdziwie nieprzeliczone...

Już wiedział, co należy zrobić. Wyszedł ze zbójeckiej kryjówki.

— Na me rozkazanie, zamknij się, Sezamie! — zawołał i czym prędzej udał się do domu.

Zabrawszy stamtąd osła oraz kilka worków, wrócił do jaskini. Teraz pozostało tylko wypowiedzieć zaklęcie, załadować do worków złote monety, czarodziejską mocą zatrzasnąć skałę i, wróciwszy do domu ze skarbem, resztę życia spędzić w dostatku.

— Cóż znaczy tych kilka worków złota wobec wszystkich skarbów groty. Rozbójnicy nawet nie zauważą straty — myślał Ali Baba.

Rzeczywiście. Zbójcy nie domyślili się nawet, że ktoś odkrył ich skarbiec.

Tymczasem Ali Baba pochwalił się złotem żonie, synowi i służącej. Wszyscy oczywiście bardzo się ucieszyli, a pani domu rzekła:
— Monet jest tyle, że liczenie ich zajęłoby całą wieczność. Pożyczę wielki dzban od twojego brata Kassima i zmierzymy, ile dzbanów złota mamy.
Jak powiedziała, tak zrobiła.
Oddając dzban, nie spostrzegła, że na jego dnie zostało kilka monet. Zauważył je natomiast Kassim. Natychmiast pobiegł do Ali Baby.
— Czyżbyś przechowywał w moim dzbanie złoto, jak ja oliwę? — zapytał żartem.
Kupiec opowiedział mu o wszystkim, zdradzając także zaklęcia otwierające i zamykające jaskinię.
— Skarbów starczy także dla ciebie — powiedział. — Uważaj tylko, aby zbójcy cię nie przyłapali.

Kassim pojechał do groty. Zobaczywszy góry klejnotów, złotych i srebrnych monet oraz szlachetnych kamieni, stracił głowę. Napakował ile mógł do worków, które miał ze sobą, załadował je na osła i... co za nieszczęście! Zapomniał zaklęcia zamykającego jaskinię.

— Na moje wołanie, zamknij się, Głazanie! — próbował.
— Na mój krzyk, zamknij się w mig! — wołał.
Na próżno. Zrozpaczony, ledwo usłyszał galopujących ku grocie rozbójników. W ostatniej chwili ukrył się w jaskini. Na nic to się jednak nie zdało. Jeźdźcy wiedzieli, że ktoś dobrał się do ich skarbów. Przeszukali dokładnie grotę, znaleźli Kassima i zabili go, a potem zaczęli przeliczać skarby. Zabrało im to tydzień.
— Brakuje złotych monet — orzekł w końcu herszt bandy. — Ktoś jeszcze musi znać zaklęcie.

Jeden z rozbójników udał się do miasta na przeszpiegi. Szybko udało mu się dowiedzieć, że kupiec Ali Baba stał się niedawno bogatym człowiekiem, a jego brat, Kassim, zaginął przed tygodniem bez wieści. Wszystko było jasne. Dowódca rozbójników wpadł na sprytny pomysł. Kazał swoim czterdziestu ludziom wejść do wielkich dzbanów na oliwę — takich, jak ten, którym żona Ali Baby mierzyła złoto — po czym dzbany te załado-

wał na wóz, sam przebrał się za handlarza oliwą i powędrował do miasta.
— Nocą dam wam znak. Wyjdziecie z dzbanów i zabijecie Ali Babę i wszystkich domowników. Bez mojego rozkazu nie wolno wam nawet pisnąć.
Udając wędrownego kupca, herszt rozbójników poprosił Ali Babę o gościnę. Został przyjęty po królewsku — obfitą ucztę podano na złotej zastawie, wino lało się strumieniami...

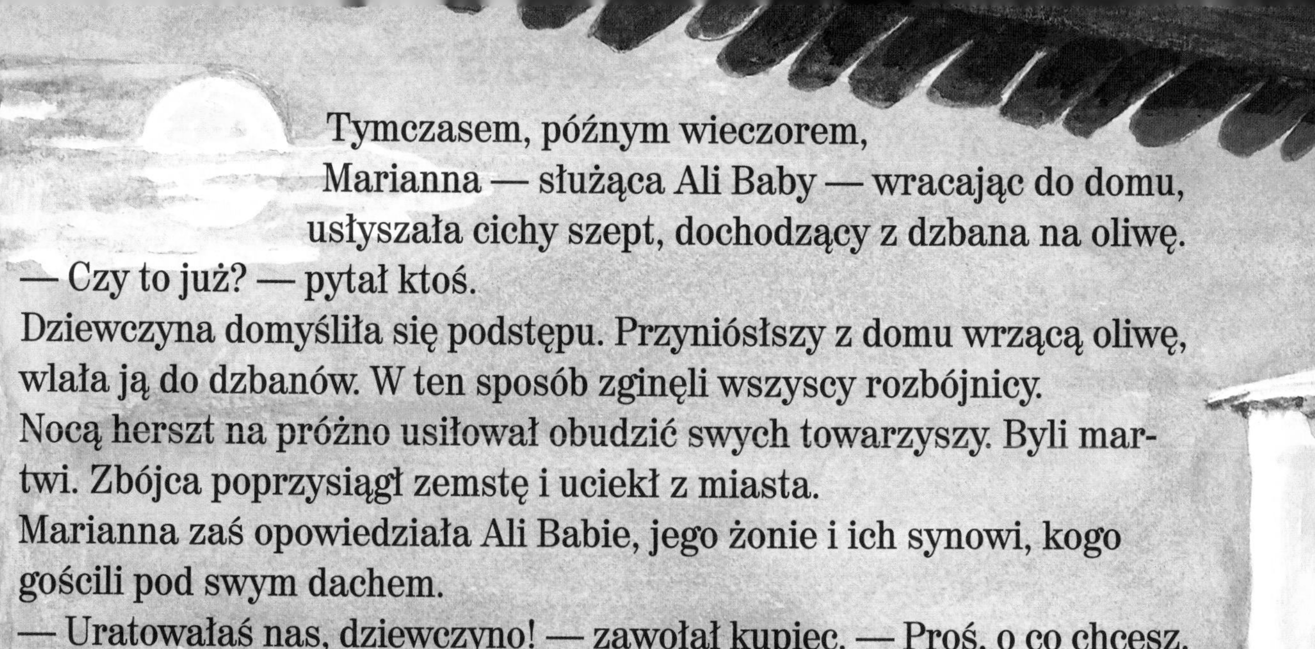

Tymczasem, późnym wieczorem, Marianna — służąca Ali Baby — wracając do domu, usłyszała cichy szept, dochodzący z dzbana na oliwę.

— Czy to już? — pytał ktoś.

Dziewczyna domyśliła się podstępu. Przyniósłszy z domu wrzącą oliwę, wlała ją do dzbanów. W ten sposób zginęli wszyscy rozbójnicy.

Nocą herszt na próżno usiłował obudzić swych towarzyszy. Byli martwi. Zbójca poprzysiągł zemstę i uciekł z miasta.

Marianna zaś opowiedziała Ali Babie, jego żonie i ich synowi, kogo gościli pod swym dachem.

— Uratowałaś nas, dziewczyno! — zawołał kupiec. — Proś, o co chcesz. Mogę dać ci tyle złota, ile zażądasz.

Ale Marianna nie chciała złota. Została z rodziną Ali Baby, nadal wiernie służąc gospodarzom.

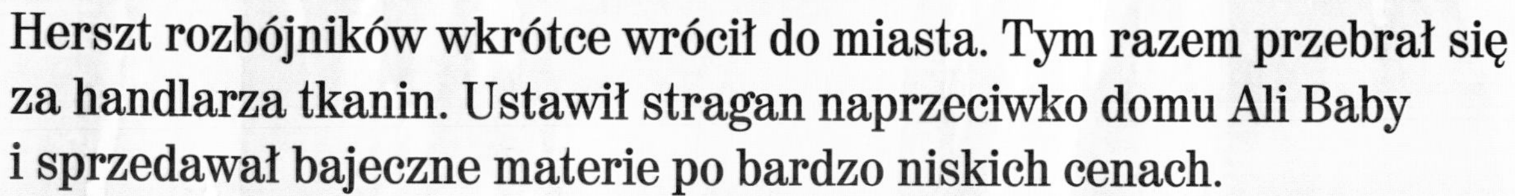

Herszt rozbójników wkrótce wrócił do miasta. Tym razem przebrał się za handlarza tkanin. Ustawił stragan naprzeciwko domu Ali Baby i sprzedawał bajeczne materie po bardzo niskich cenach.

— Ciekawe, skąd sprowadza swoje materiały? — zainteresował się Ali Baba i zaprosił nieznajomego kupca, by porozmawiać z nim o interesach. W czasie wystawnej kolacji Marianna, podając gościowi wino, dostrzegła, że w fałdach jego szarawarów lśni nóż. Przyjrzała się przybyszowi uważnie. Ależ tak! To herszt rozbójników. Na szczęście nie było za późno, choć o mały włos, a drab spełniłby swój niecny zamiar.

Wszystko zdarzyło się tak szybko, że Ali Baba ledwo zdążył zauważyć, jak obcy kupiec, ruchem szybkim jak błyskawica,

wyciąga sztylet i rzuca się na niego. W tym samym momencie Marianna chwyciła leżący na stole nóż i wbiła go w serce rozbójnika.

— Dziewczyno! Po raz drugi uratowałaś mi życie! Nie jesteś już służącą, należysz odtąd do rodziny! — zawołał Ali Baba.

Wkrótce odbył się ślub Marianny z synem Ali Baby. Okazało się, że młodzi już dawno przypadli sobie do gustu. W dniu wesela kupiec zaprowadził nowożeńców do zbójeckiej jaskini i, pokazawszy im, jak otwierać i zamykać skałę, przestrzegł, by rozważnie korzystali ze skarbów. Posłuchali go, tak że bogactw starczyło i dla ich dzieci, i dla wnuków, i dla prawnuków. Kto wie, może do dziś potomkowie Ali Baby korzystają ze zbójeckiego złota?

Księżniczka
na ziarnku
grochu

Było kiedyś wspaniałe królestwo — mlekiem i miodem płynące. Leżało za lasami, za górami i za siedmioma morzami. Nic więc dziwnego, że daleko stamtąd było do wszystkich innych królestw, księstw i hrabstw.

Królestwem rządził dobry król Jan. Miał żonę — mądrą królową Magdalenę i syna — przystojnego księcia Jakuba. Władca był sumienny i pracowity, więc jego państwo stawało się

coraz piękniejsze i zasobniejsze, lecz on sam starzał się już i rozkazywanie wydawało mu się coraz bardziej męczące. Wkrótce jedynym marzeniem króla Jana stało się przekazanie władzy synowi.

— Ożeń się, Jakubie — namawiał jedynaka. — Odziedziczysz najbogatsze królestwo świata, a ja wreszcie odpocznę.

Cóż, kiedy zgodnie z obowiązującą etykietą książę, aby wstąpić na tron, musiał się przedtem ożenić. Żoną księcia mogła zaś zostać tylko i wyłącznie prawdziwa, najprawdziwsza księżniczka.
Kiedy heroldowie ogłosili w całym królestwie, że książę Jakub szuka żony, do pałacu zaczęły przybywać tłumy dziewcząt, z których każda podawała się za księżniczkę z babki, prababki. Król Jan spodziewał się, że wkrótce będzie mógł oddać rządy w ręce następcy, jednak okazało się, że poszukiwanie odpowiedniej żony dla przyszłego władcy wcale nie jest takie proste.
Królowa Magdalena od rana do wieczora przyjmowała kandydatki na synowe w sali audiencyjnej. Zadawszy kilka prostych pytań, potrafiła

bez cienia wątpliwości rozpoznać, która z panien kłamie.

— Jak długo gotuje się jajko na twardo? — pytała na przykład, a kiedy dziewczyna odpowiadała prawidłowo, natychmiast wyrzucała ją za drzwi. Wiadomo przecież, że prawdziwe księżniczki nie wiedzą takich rzeczy.

Wkrótce królowa pozbyła się wszystkich panien. Żadna nie okazała się godna ręki jej syna.

Król Jan wpadł w rozpacz.
— Czy w pobliżu nie ma ani jednej prawdziwej księżniczki? — pytał. — Wyślijmy więc gońców, niech szukają w obcych krajach.
Heroldowie pojechali. Ale ponieważ królestwo leżało bardzo, bardzo daleko, nie wracali tak długo, że monarsza rodzina niemal straciła nadzieję. Książę Jakub włóczył się smutny po pałacowych komnatach, królowa Magdalena zaczęła się zastanawiać, czy nie poddała kandydatek zbyt trudnej próbie, zaś król Jan poważnie rozważał zmianę etykiety. Może żona księcia nie musi być księżniczką?
Minęła wiosna i minęło lato. Nadeszła jesień. Pewnego wieczoru do bram pałacu ktoś zastukał:
— Puk, puk!
— Kto tam? — zapytał strażnik.
— Księżniczka Katarzyna — odparł ktoś dumnym głosem. — Proszę mnie wpuścić.
Żołnierz spełnił jej prośbę, a służąca, która przypadkiem słyszała tę rozmowę, czym prędzej pobiegła z nowiną do królowej Magdaleny.

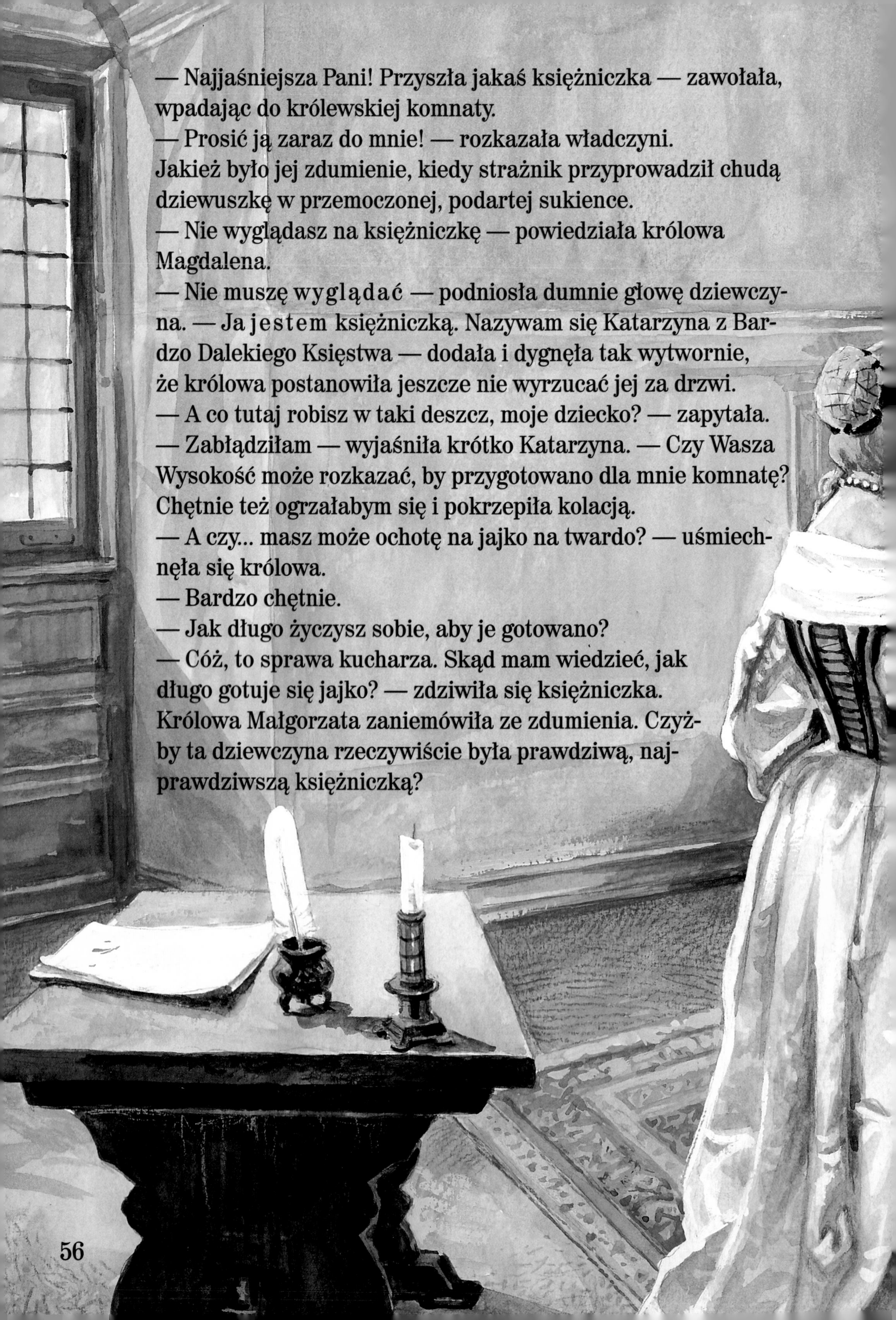

— Najjaśniejsza Pani! Przyszła jakaś księżniczka — zawołała, wpadając do królewskiej komnaty.
— Prosić ją zaraz do mnie! — rozkazała władczyni.
Jakież było jej zdumienie, kiedy strażnik przyprowadził chudą dziewuszkę w przemoczonej, podartej sukience.
— Nie wyglądasz na księżniczkę — powiedziała królowa Magdalena.
— Nie muszę w y g l ą d a ć — podniosła dumnie głowę dziewczyna. — Ja j e s t e m księżniczką. Nazywam się Katarzyna z Bardzo Dalekiego Księstwa — dodała i dygnęła tak wytwornie, że królowa postanowiła jeszcze nie wyrzucać jej za drzwi.
— A co tutaj robisz w taki deszcz, moje dziecko? — zapytała.
— Zabłądziłam — wyjaśniła krótko Katarzyna. — Czy Wasza Wysokość może rozkazać, by przygotowano dla mnie komnatę? Chętnie też ogrzałabym się i pokrzepiła kolacją.
— A czy... masz może ochotę na jajko na twardo? — uśmiechnęła się królowa.
— Bardzo chętnie.
— Jak długo życzysz sobie, aby je gotowano?
— Cóż, to sprawa kucharza. Skąd mam wiedzieć, jak długo gotuje się jajko? — zdziwiła się księżniczka.
Królowa Małgorzata zaniemówiła ze zdumienia. Czyżby ta dziewczyna rzeczywiście była prawdziwą, najprawdziwszą księżniczką?

M SZYSZKO 98

Rozkazała służącej wykąpać, osuszyć i przebrać dziewczynę, a potem wezwała ją na ucztę.

Katarzyna, czysta, w nowych szatach i uśmiechnięta, wyglądała tak pięknie, że książę Jakub natychmiast się w niej zakochał.

— To musi być księżniczka, mamo — szeptał królowej, ale ona tylko wzruszała ramionami.

— Jeszcze jedna próba — mówiła.

Katarzyna zaś zachowywała się z takim wdziękiem, a jednocześnie tak dystyngowanie, że król Jan był nią zupełnie zauroczony.

— To musi być księżniczka, żono — szeptał królowej, ale ona tylko wzruszała ramionami.

— Jeszcze jedna próba — mówiła.

Po kolacji królowa Magdalena rozkazała przygotować komnatę dla księżniczki. Osobiście dopilnowała, by łóżko zasłano stosem miękkich pościeli. Były tam materace z morskiej trawy, wytworne kołdry z łabędziego puchu, pierzyny lekkie jak obłoki i poduszki puszyste, tak że same prawie unosiły się w powietrzu.
Potem władczyni zaprowadziła dziewczynę do jej pokoju.
— Dobranoc, Katarzyno, śpij dobrze — powiedziała i zamknęła za sobą drzwi.

Nazajutrz Katarzyna zeszła na śniadanie blada, niewyspana i obolała.

— Jak ci się spało, moje dziecko? — zapytała królowa.

— Okropnie. Przez całą noc nie zmrużyłam oka. Wydawało mi się, że leżę na kamieniach — westchnęła dziewczyna.

Królowa Małgorzata klasnęła w ręce ze szczęścia.

— Teraz wiem na pewno, że jesteś prawdziwą, najprawdziwszą księżniczką — powiedziała. — Włożyłam pod materace ziarnko grochu, a tylko prawdziwa księżniczka jest tak delikatna, że przeszkadza jej ono spać.

M. SZYSZKO 98

Książę Jakub ożenił się oczywiście z księżniczką Katarzyną, zaś król Jan, zanim przekazał mu berło, kazał w nie wprawić ziarno grochu, dzięki któremu jego syn znalazł godną siebie żonę.

Jaś i ziarenka fasoli

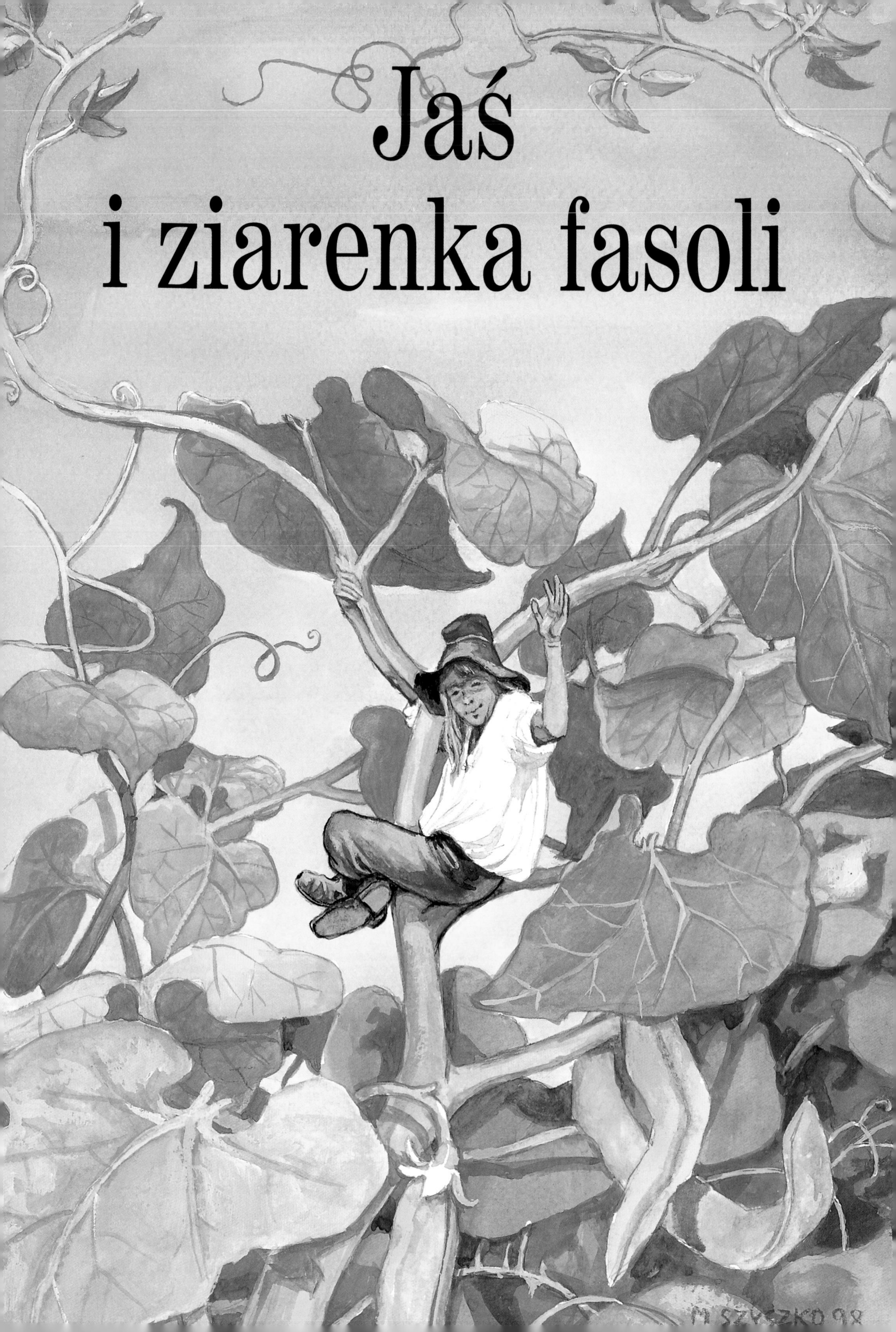

W baśniach są zwykle biedni i bogaci, dobrzy i źli. W tej baśni będzie inaczej. Zobaczycie. W tej baśni wszystko rozpoczyna się w nędznej chacie, a bohaterami opowieści są: pewna wdowa i jej jedyny syn — ubodzy jak kościelne myszy. Wszystko, co mają, to chuda krowa.

— Źle z nami, synku — powiedziała matka pewnego dnia. — Nie mamy ani jedzenia, ani pieniędzy. Trzeba sprzedać krowę. Idź na targ i postaraj się przynieść jak najwięcej grosza.

— Dobrze, pójdę — zgodził się syn.

I poszedł.

Krowa dreptała za nim, rozglądając się dokoła i żując trawę, jak to krowa. Niespodziewanie drogę zastąpił im stary, przygarbiony człowiek.

— Hej, skąd się tutaj wziąłeś? — zdziwił się chłopak. — Mógłbym przyrzec, że zjawiłeś się jak pajac z pudełka. Jeszcze przed chwilą droga była pusta. Czary, czy co?
Staruszek uśmiechnął się pod nosem i powiedział:
— Umiem wiele i wiem wiele. Ale teraz chciałbym tylko, żebyś sprzedał mi swoją krowę. Dam ci za nią... to.
Rozchylił dłoń i wyciągnął ją w stronę młodzieńca.
— To? — zdziwił się chłopak. — To przecież tylko ziarenka fasoli! Cha, cha, cha! Wiem, że krowa nie jest zbyt tłusta i pewnie nie dostanę za nią majątku, ale to?! Nie, dziękuję, pójdę na targ.
I poszedł.
— Jeszcze zobaczymy — mruknął staruszek i zniknął tak samo nagle, jak się pojawił.

Syn wdowy wraz z krową dotarł na targ, ale choć tak głośno, jak mógł, zachwalał krasulę, nie znalazł kupca. Wieczorem, z gardłem zdartym od krzyku, ze zwieszoną głową i wreszcie z krową na postronku, wracał do domu.
Stary człowiek pojawił się przed nim tak nagle, jak poprzednio.
— Sprzedaj mi krowę — poprosił. — Przyrzekam, że nie pożałujesz. Dzięki tej fasoli spełnią się twoje marzenia. Wszystkie. Nawet te, o których jeszcze nie wiesz. Zobaczysz.
Chłopak machnął ręką. Nie udało mu się sprzedać krowy na targu, więc co za różnica. Odda ją starcowi choćby za fasolę. Może rzeczywiście przyniesie mu szczęście, pomoże spełnić marzenia...
I oddał krowę.

Wdowa nie była zadowolona.
— Jak mogłeś oddać taką krowę za takie byle co! — gderała i wyrzuciła ziarna fasoli przez okno.
Następnego dnia rano chłopaka nie obudził promień słońca, który zwykle wpadał przez okno chaty. Było szaro i ciemno.
— Burza idzie, czy co? — przeciągnął się młodzieniec.
Jakież było jego zdumienie, gdy, wyjrzawszy przez okno, zobaczył za nim potężną łodygę... fasoli. Fasoli tak wielkiej, że trudno nawet to opisać. Jej pień był gruby jak pień dębu, zaś czubek ginął w chmurach.
— Ciekawe, jak wysoko może rosnąć taka fasola? — szepnął chłopak i, niewiele myśląc, zaczął się wspinać po zielonej łodydze.

Wspinał się i wspinał, aż dotarł po fasolowej drodze przed wrota olbrzymiego zamczyska. Było tak olbrzymie, ponieważ mieszkały w nim... olbrzymy. Syn wdowy był przy nich taki maleńki, że nawet go nie zauważyły. Za to on uważnie się wszystkiemu przyjrzał. Zobaczył góry mięsa, pieczywa i owoców. Zobaczył stosy złota. Zobaczył też... małą złocistą harfę, która musiała być zaczarowana, bo śpiewała cichutko do wtóru swych strun:

— Hej, co dzień tonę we łzach,
hej, czy pokocha mnie ktoś?
Hej, wśród olbrzymów żyć
to nie dla harfy los.

Chłopak ledwo zwrócił na harfę uwagę, choć miała postać pięknej dziewczyny. Zabrał trochę mięsa, pieczywa i owoców oraz tyle złota, ile zmieścił w kieszeniach i czym prędzej wrócił do domu.

— A to się mama ucieszy! — myślał.
Wdowa rzeczywiście się ucieszyła.
Wyściskała jedynaka, a kiedy przeliczyli złoto, okazało się, że mogliby za nie żyć do końca życia albo i dłużej.
To dopiero była radość!
Zaprosili sąsiadów i wszyscy bawili się przez trzy dni i trzy noce. I wszyscy byli szczęśliwi oprócz... syna wdowy. Czuł, że mu czegoś brakuje, że wraz z bogactwem nie wszystkie jego marzenia się spełniły, że potrzebuje czegoś jeszcze... Długo nie mógł zrozumieć, czego, aż z jego snów zaczęła wyłaniać się wiotka postać harfy-dziewczyny i już wkrótce wystarczyło, by przymknął oczy, a wyraźnie słyszał jej smutny śpiew:

— Hej, co dzień tonę we łzach,
hej, czy pokocha mnie ktoś?
Hej, wśród olbrzymów żyć
to nie dla harfy los.

Wiedział, że musi wrócić do zamku olbrzymów po tajemniczą dziewczynę. Nie mógł bez niej żyć.

Mimo sprzeciwu matki, ponownie wdrapał się na łodygę fasoli. Tym razem nie szedł tak pewnie, jak poprzednio. Wiedział już, kto mieszka za wielką żelazną bramą i bał się o swoje życie.
— Kim jest harfa-dziewczyna? — myślał, przemykając się korytarzami gmaszyska.
Z oddali dochodziły ciche dźwięki jej strun. Wreszcie trafił do komnaty, której szukał. Była to sypialnia olbrzymów. Harfa stała na stole i grała im do snu.
Gdyby przerwała, natychmiast by się obudzili. Marny byłby wówczas los i harfy, i chłopaka.
Szeptem powiedzieli więc sobie, co mieli do powiedzenia: ona opowiedziała, jak czekała w zamku na kogoś, kto bez niej nie będzie mógł żyć, a on o dniach i nocach, kiedy tęsknił, aż zrozumiał, że bez niej żyć nie może.
Potem chłopak wziął harfę na ręce i pobiegł z nią w stronę domu.

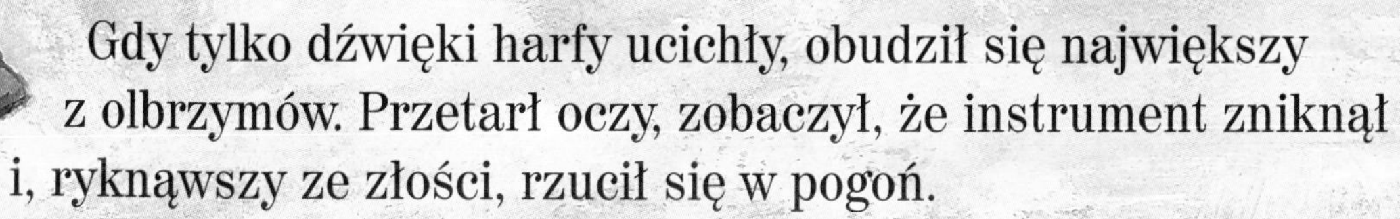

Gdy tylko dźwięki harfy ucichły, obudził się największy z olbrzymów. Przetarł oczy, zobaczył, że instrument zniknął i, ryknąwszy ze złości, rzucił się w pogoń.

— Tup, tup, tup — umykał przed nim chłopak.

— Bum, bum, bum! — dudniły kroki olbrzyma po zamkowych posadzkach.

— Szu, szu, szu — ześlizgiwał się zwinnie młodzieniec po łodydze gigantycznej fasoli.

— Trach, trach, trach — łamały się pędy pod ciężarem olbrzyma. Wielkolud był tuż-tuż.

Złapałby uciekinierów, gdyby nie to, że fasola w końcu załamała się pod jego ciężarem. Olbrzym spadł z hukiem, a był tak ciężki, że ziemia zapadła się pod nim zbyt głęboko, by ktokolwiek kiedykolwiek mógł jeszcze o nim usłyszeć.

Chłopakowi udało się uciec. Miał, czego chciał — bogactwo i dziewczynę. Teraz już nie potrzebował fasoli — nie żałował, że się złamała, odcinając drogę do zamczyska.
Stary człowiek, któremu oddał krowę, miał rację — ziarna spełniły jego marzenia.

Złotowłosa i trzy niedźwiadki

Żyła kiedyś dziewczynka, która była bardzo ciekawska i bardzo uparta. Do tego uważała, że sama wszystko potrafi, dorośli powinni spełniać każde jej życzenie, a dzieci słuchać, i że jest najmądrzejsza i najodważniejsza na świecie.

Była śliczna jak obrazek. Miała rumiane policzki, błękitne oczy i długie, złociste włosy. Nazywano ją Złotowłosa.

— Czy ktoś umie tyle, co ja? — pytała, albo chwaliła się:

— Mam najpiękniejszą sukienkę, ale nawet gdybym jej nie miała, i tak wyglądałabym najładniej ze wszystkich dziewczynek. Nie wierzycie?

Gdy ktoś jej zaprzeczył, tupała i płakała do samego wieczoru.

Żyła też kiedyś rodzina niedźwiadków: mama-niedźwiedzica, tato-niedźwiedź i synek-niedźwiadek. Mieszkali w miłym domku, którego ściany pomalowane były na miodowy kolor, w samym środku lasu i byli bardzo, bardzo szczęśliwi.

Pewnego dnia pani niedźwiedziowa, jak zwykle, przygotowała śniadanie. Ponieważ kasza była gorąca, zaś dzień upalny i słoneczny, rodzina misiów postanowiła pójść przed jedzeniem na spacer.

— Żeby kasza ostygła — powiedział tata-niedźwiedź.

— Pójdziemy po miód. Kasza z miodem jest lepsza — dodał niedźwiadek.

— Zerwę trochę kwiatów i ozdobię nimi stół — postanowiła niedźwiedzica.

Poszli.

W tym miejscu rozpoczyna się nasza historia...

Bowiem tego samego ranka Złotowłosa postanowiła wybrać się na spacer.
— Jestem już dość duża, żeby pójść sama do lasu — powiedziała. — Te wszystkie opowieści o niebezpieczeństwach to bajki. Czy cokolwiek złego może się zdarzyć w taki piękny dzień?
Ponieważ zaś, jak wiecie, była bardzo uparta, poszła. Szła i szła, aż zawędrowała do samego środka lasu, gdzie stała chatka... tak! Chatka w kolorze miodu. Chatka niedźwiedziej rodziny, ale o tym Złotowłosa nie wiedziała.
— Stuk-stuk — zapukała.
Nikt nie odpowiedział.
Otworzyła więc drzwi i weszła do środka.
— Hej! Czy jest tam ktoś?! — krzyknęła.
Cisza.
— Nie ma nikogo — szepnęła Złotowłosa. — Sama się ugoszczę. Gospodarze powinni być zadowoleni, że zaszłam do nich w gości.

Weszła do kuchni.

Na stole stały trzy talerze, z których unosił się smakowity zapach.

— O! Kasza! — zawołała dziewczynka. — Nie lubię kaszy, ale widzę, że nie ma tutaj nic innego do jedzenia. Spróbuję.

I spróbowała.

— Pfe! Jest przypalona — powiedziała, kosztując z największego talerza.

— Och! A ta zbyt słona! — krzyknęła, próbując ze średniego talerza.

— Ta porcja jest w sam raz dla mnie — uśmiechnęła się i zjadła całą kaszę z najmniejszego talerzyka.

— Pyszne! — westchnęła na koniec, ale nie przyszło jej do głowy, by po sobie posprzątać. Postanowiła za to obejrzeć cały dom.

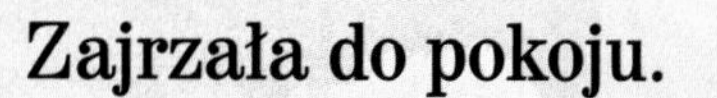

Zajrzała do pokoju.
— Jakie dziwne fotele, każdy innej wielkości — zdziwiła się.
— Ten jest dla mnie za duży — powiedziała, siadając w największym.
— A ten niewygodny — oceniła średni.
— A ten...
— Trzask! Trach!
Najmniejszy fotelik zarwał się pod ciężarem dziewczynki.
— A ten za mały — uśmiechnęła się tylko Złotowłosa, ponieważ zaś poczuła się nieco zmęczona, postanowiła poszukać sypialni, by się zdrzemnąć.

98
M.SZYSZKO

Znalazła ją po drugiej stronie korytarza. Sypialnia była błękitna jak niebo, na podłodze leżał miękki dywan, w oknach wisiały czyste, kolorowe firanki, a na parapetach stały kwiaty. Stały tam też trzy łóżka: duże, średnie i małe.

Duże okazało się za duże — poduszka była zbyt wysoka, a kołdra zbyt ciężka. Średnie także nie przypadło Złotowłosej do gustu. W końcu ułożyła się wygodnie w najmniejszym łóżeczku, które okazało się w sam raz, i smacznie zasnęła.

M.SZYSZKO98

Tymczasem niedźwiedzia rodzina wracała ze spaceru. Mama-niedźwiedzica niosła bukiet kwiatów, mały miś — plaster miodu, a pan niedźwiedź dźwigał pieniek, który znalazł na polanie.
— Zrobię z niego nowy stolik do pokoju — mruczał — albo kwietnik. Co powiesz, żono? Może wolałabyś kwietnik?
— Masz rację. Ustawimy go w pokoju.
Niedźwiedzie weszły do swojego domku.
— Jaki tu bałagan! — chwyciła się za głowę niedźwiedzica, ledwie tylko zajrzała do kuchni. Niech no tylko znajdę tego, kto to zrobił! Jak można tak bałaganić!
— Może to sroki-złodziejki? — odezwał się tato-niedźwiedź.
— Ktoś zjadł moją kaszkę! — zawołał w tym momencie niedźwiadek i pobiegł do pokoju.
Mama i tata podreptali za synkiem.
— Ktoś zepsuł mój fotelik! — krzyknął miś i pobiegł do sypialni.
Mama i tata podreptali za nim.
— Aaa! Ktoś śpi w moim łóżeczku! — wrzasnął przestraszony synek, bo jeszcze nigdy w życiu nie widział żadnej dziewczynki.

Jednak jeszcze bardziej niż miś przestraszyła się Złotowłosa. Ujrzawszy nad sobą trzy niedźwiedzie, zerwała się na równe nogi i uciekła tak szybko, że aż się za nią kurzyło.
Odtąd była mniej ciekawska i mniej uparta. Nie uważała już, że sama wszystko potrafi, dorośli powinni spełniać każde jej życzenie, a dzieci słuchać, i że jest najmądrzejsza i najodważniejsza na świecie. Naprawdę.

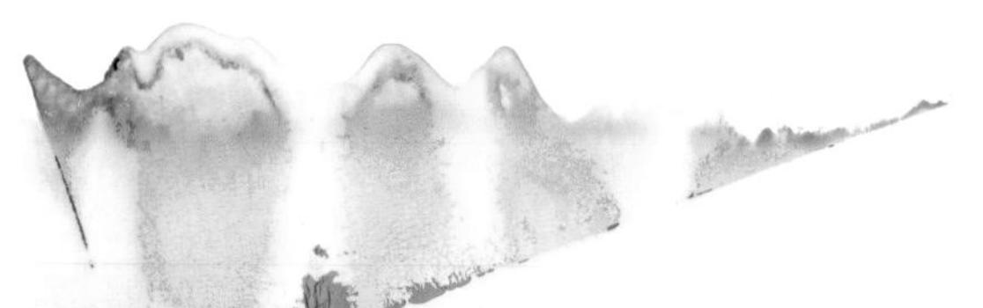

NAJPIĘKNIEJSZE BAŚNIE ŚWIATA

NBA01 NBA02 NBA03 NBA05

POLSCY AUTORZY DZIECIOM

PAD01 PAD02 PAD03 PAD04